La quête spirituelle : avec ou sans Dieu ?

Les conférences du Centre culturel chrétien
de Montréal

Catalogage avant publication de Bibliothèque et Archives nationales du Québec
et Bibliothèque et Archives Canada

Dufour, Rose, 1943-

La quête spirituelle : avec ou sans Dieu?
(Les conférences du Centre culturel chrétien de Montréal)

ISBN 978-2-89499-111-4 [format papier]
ISBN 978-2-89499-166-4 [format électronique]

. Vie spirituelle.
. Vie chrétienne.
. Pluralisme religieux - Québec (Province). I. Émond, Bernard-Richard. II. Lusser, Gilles, 1940- . III. Titre.

L624.D83 2010   204'.4   C2010-940003-8

Dépôt légal : 1er trimestre 2010
Bibliothèque et Archives nationales du Québec
Éditions FPR, 2010

Les Éditions FPR reconnaissent l'aide financière du Gouvernement du Canada
par l'entremise du Programme d'aide au développement de l'industrie de l'édition
(PADIÉ) pour leurs activités d'édition. Les Éditions FPR remercient de leur
soutien financier le Conseil des Arts du Canada et la Société de développement
des entreprises culturelles du Québec (SODEC). Les Éditions FPR bénéficient du
Programme de crédit d'impôt pour l'édition de livres du Gouvernement du Québec,
géré par la SODEC.

IMPRIMÉ AU CANADA EN FÉVRIER 2010

Rose Dufour
Bernard Émond
Gilles Lussier

La quête spirituelle : avec ou sans D

FIDES • MÉDIASPAUL

*Les trois conférences ici reproduites
ont été prononcées au Centre culturel chrétien
de Montréal le 21 janvier 2010.*

Le Centre culturel chrétien de Montréal est un organisme sans but lucratif formé à l'initiative des Dominicains du Canada et des organismes regroupés au 2715, chemin de la Côte-Sainte-Catherine. Né d'un souci d'intelligence de la situation présente du christianisme et de ses relations avec les autres traditions religieuses, dans un contexte socioculturel changeant, le Centre présente depuis 2003 des conférences, débats, colloques, soirées de poésie et musique reliés à la vie spirituelle et sociale québécoise.

LA QUÊTE SPIRITUELLE : AVEC OU SANS DIEU ?

Présentation par M. Jean-Pierre Proulx

Il y a dans cette question un postulat implicite, à savoir qu'il existerait une chose telle que la spiritualité. Pour certains, la question elle-même n'a pas de sens, car il n'existerait simplement pas d'esprit. Pour eux, l'esprit est tout simplement... une vue de l'esprit ! N'existeraient que la matière et la conscience que nous avons de nous-mêmes — «Je pense donc que je suis» —, laquelle n'est que la manifestation d'un stade plus avancé de développement de notre système nerveux.

Pour d'autres, la spiritualité existe bel et bien, mais elle est tout immanente. Elle existe à l'intérieur de nous-mêmes, en tant que production de notre pensée et de nos émotions. Dans cette perspective, André Comte-Sponville, dans son remarquable ouvrage *L'esprit de l'athéisme. Introduction à une spiritualité sans Dieu*, a magnifiquement montré comment sa spiritualité est née et est alimentée de la contemplation d'un double mystère fondamental : l'existence du monde et sa propre existence.

Enfin, pour d'autres, la spiritualité ne se conçoit guère sans référence à la transcendance, donc à un principe extérieur à soi-même et au monde, et que les croyants appellent généralement Dieu.

Afin de poursuivre cette réflexion, les trois conférenciers ont été invités à répondre à trois questions :

— d'abord, de formuler leur compréhension personnelle de la spiritualité ;

— ensuite, sous la forme du témoignage, de préciser la voie ou les voies qu'emprunte leur propre quête spirituelle, aussi bien par rapport à ce qui nourrit cette quête que par les façons dont elle se manifeste dans leur vie ;

— enfin, de conclure au regard du thème de la soirée : « La quête spirituelle : avec ou sans Dieu ? ».

Les conférenciers

Mme Rose Dufour
D'abord infirmière, elle est devenue anthropologue à l'issue d'une expérience de coopération internationale en Tunisie et elle fait ensuite carrière en santé publique. Elle a travaillé vingt ans sur les rapports entre la culture, la santé et la maladie des Inuits pour ensuite s'engager, à partir de 1992, dans un programme d'action et de recherche avec les personnes démunies du centre-ville de Québec. Son but est de répondre à la question : comment peut-on aider une personne à s'aider elle-même davantage à se réaliser, à s'accomplir, à sortir de l'exclusion sociale pour s'insérer progressivement ? Dans ce sens, elle a travaillé avec des hommes itinérants, des jeunes de la rue, des enfants de Duplessis et, depuis neuf ans avec des femmes qui en sont venues à se prostituer. Retraitée de la Santé publique depuis 1998, elle est chercheure associée au Collectif de recherche sur l'itinérance, la pauvreté et l'exclusion sociale (CRI) du Département de sociologie de l'UQAM et a fondé à Québec la Maison de Marthe, un très modeste lieu d'accueil et un mode d'intervention, pour accompagner

des femmes qui ont décidé de quitter la prostitution. L'originalité de sa démarche réside dans une présence constante sur le terrain où elle met la science au service des personnes plutôt que des institutions. Elle a publié plusieurs articles et deux livres importants : *Naître rien. Des orphelins de Duplessis, de la crèche à l'asile* en 2002 et *Je vous salue... Marion, Carmen, Clémentine... pleines de grâce. Le point zéro de la prostitution* en 2004, tous deux aux Éditions MultiMondes.

M. Bernard Émond

Bernard Émond est né à Montréal en 1951. Il réalise ses premières vidéos dans les années soixante-dix. Après des études en anthropologie, il travaille dans le Grand Nord canadien comme formateur à la télévision inuite. Son travail documentaire des années quatre-vingt-dix comprend cinq films : *Ceux qui ont le pas léger meurent sans laisser de traces* (1992), *L'épreuve du feu* (1997), *L'instant et la patience* (1994), *La terre des autres* (1995) et *Le temps et le lieu* (2000). Il vient à la fiction avec *La femme qui boit* (2001) puis *20 h 17 rue Darling* (2003), tous deux sélectionnés à la Semaine internationale de la critique du Festival de Cannes. Puis il entreprend une trilogie sur les vertus théologales : ce seront *La Neuvaine* (2005), *Contre toute espérance* (2007) et *La Donation* (2009). Ses films sont primés dans plusieurs festivals et ses acteurs reçoivent de nombreuses récompenses. En 2005, *La Neuvaine* reçoit le prix du meilleur long métrage québécois de l'Association québécoise des critiques de cinéma. Il vient de publier aux Éditions Médiaspaul *La perte et le lien*, qui porte en grande partie sur sa trilogie sur les vertus théologales et sur son positionnement par rapport à la religion.

Mgr Gilles Lussier

Gilles Lussier est évêque de Joliette depuis 1991, après avoir été pendant deux ans évêque auxiliaire de Saint-Jérôme. Il a été ordonné prêtre en 1964 d'abord comme membre de la Société des Missions-Étrangères de Pont-Viau. À ce titre, il a œuvré pendant quatre ans au Honduras avant de revenir au Québec où il a exercé diverses fonctions pastorales, dont celle de curé de la paroisse Notre-Dame-des-Neiges.

J'utiliserai comme point de départ le titre du dernier livre que j'ai publié : *Je vous salue… Marion, Carmen, Clémentine… pleines de grâce. Le point zéro de la prostitution.* Ce titre ne se veut pas une provocation. Pourquoi ai-je osé reprendre le *Je vous salue Marie*, une prière qui vénère la mère du Christ, la plus pure d'entre toutes les femmes, celle qui a engendré un enfant « sans connaître d'homme », donc en demeurant vierge, reprendre cette pureté parfaite pour la rapprocher, l'attribuer aux femmes considérées les plus souillées, « des femmes de rien, des traînées, des ordures », selon les mots mêmes des hommes qui les utilisent.

Cette question est au centre de mon témoignage. Lorsque l'on est chercheure, il faut répondre à différentes recherches, il y a celles imposées par l'employeur, il y a celles qu'on propose et choisit de faire mais il y a aussi des recherches qui viennent nous chercher. La prostitution comme sujet de recherche est venue me chercher.

La prostitution se rattache à mon enfance par une petite phrase, une parole du Christ : « En vérité, je vous le dis, les publicains et les prostituées arrivent avant vous au Royaume de Dieu. (Mt 21, 28)» Cette phrase terrible fut marquante pour moi. Comment le Christ pouvait-il faire une affirmation aussi choquante? Dans la parabole de l'Évangile, c'est l'ostracisme sans appel de la femme publique qui impressionne au premier chef, ostracisme que le Christ transforme en passeport pour le paradis! C'était pour l'enfant, la petite fille que j'étais, un paradoxe insoluble.

Je tiens à situer précisément la compréhension de la femme prostituée dans son contexte culturel: celui de la place du sexe et de la sexualité dans la culture québécoise. La seconde raison est celle de l'attitude du Christ à l'égard de Marie-Madeleine, la prostituée à qui il fait jouer un rôle de premier plan. En effet, «Marie-Madeleine se distingue de toutes les femmes de l'Évangile. On la retrouve non seulement à Bétha-nie mais encore au pied de la croix et au tombeau vide, après la résurrection. C'est même elle qui recevra les premières paroles de Jésus ressuscité. Elle sera envoyée aux apôtres pour leur annoncer la grande nouvelle de la résurrection, elle les précédera dans la mission évangélique, les ayant précédés dans la foi[1].» Ce Christ prenait parti pour les femmes prostituées, contre les pharisiens, pour les révéler à eux-mêmes. Il nous révèle à nous-mêmes de la même façon. Guardini explique : « Ces pharisiens prisonniers des catégories arbitraires de ce monde malveillant, dur, aveugle. Et Jésus montre dans quelle région spirituelle se tient la femme accusée : dans une contrition si profonde et un amour si élevé, qu'elle plane au-dessus de tout et de tous et qu'elle appartient vraiment au Sauveur. Cette femme, que tu appelles pécheresse, ne l'était déjà plus en entrant ici, car aimer comme elle aime, n'est possible qu'à celui qui a reçu le pardon de grandes fautes[2].» On ne peut être plus clair. J'y reviendrai plus loin, c'est l'objet de mon témoignage.

J'ai toujours été en quête intérieure. Ma quête est aussi vieille que moi. Je la dois aux religieuses qui ont assuré mon éducation. Je suis née à Kénogami au Saguenay, j'y ai fait toutes mes études primaires et secondaires avec les sœurs du Bon Conseil de Chicoutimi qui assuraient

---

1. Romano Guardini, *Le Seigneur. Méditation sur la personne et la vie de Jésus-Christ,* t. 1, Paris, Éditions Alsatia, 1945, p. 69.
2. Ibid.

notre éducation. Par ma naissance, par mon éducation, je suis façonnée, modelée, rattachée au christianisme comme la très grande majorité des Québécois, comme à la famille qui est la mienne, comme au pays qui est le mien. Mais au centre de moi, il y a aussi autre chose qui m'est profondément intime et personnel, qui relève de mon expérience, de ma recherche, de ma quête de sens et de vie. C'est aux Sœurs du Bon Conseil que j'attribue cet éveil précoce à la quête intérieure, à une phrase marquante dite à un moment ou l'autre : « Préparez-vous maintenant pour être prête lorsque l'appel viendra, ai-je retenu, lorsque l'appel viendra, ce ne sera plus le temps de vous préparer, il faudra être prête. » Et l'appel est venu. J'avais sept, huit ou neuf ans, je ne puis le préciser, lors d'une extraordinaire journée d'été, une journée pleine de soleil et de lumière où j'étais debout, seule, sur la galerie de la maison familiale. La petite voix au fond de moi a dit tout doucement : « Tu pourras, si tu le veux, donner la parole à ceux qui ne l'ont pas et parler à la place de ceux qui ne le peuvent pas. » Je n'ai jamais douté de cette phrase. Je ne l'ai jamais oubliée non plus. Je n'en ai jamais parlé, si ce n'est que très récemment. Elle a habité toute ma vie. J'ai été attentive aux signes qui me permettraient d'y répondre, interrogatrice sur son aboutissement. Mon temps d'attente fut long, il a fallu toute la vie à la VIE pour me préparer adéquatement à cette tâche qui débutera lorsque j'aurai cinquante-quatre ans. Entre les deux, il y a eu la vie et parce que la vie nous est donnée, j'ai cru à tort que je savais comment vivre, que ce savoir était donné avec la vie. Je me suis lourdement trompée.

Vers mes dix-huit ans, alors que je débutais mon cours d'infirmière à l'Hôpital Notre-Dame de Montréal, j'ai perdu la foi, la foi de mes ancêtres, la foi transmise par l'Église. Dans un premier temps, j'ai éprouvé une très grande crainte mais il n'y a eu ni tremblement de terre, ni tonnerre, la terre ne s'est pas ouverte pour m'engloutir. Puis j'ai cessé d'avoir peur pour tomber dans l'ivresse de la liberté : enfin pouvoir penser par moi-même, décider par moi-même, faire selon ma compréhension… ! Ensuite, de l'ivresse, je suis passée au désespoir, à l'abîme sans fond. Je me suis égarée dans ma propre vie. J'avais perdu tous mes repères. J'ai cherché partout à l'extérieur ce qui en fait était au fond de moi. L'errance a duré vingt ans. À travers ce chaos, quelque chose cherchait à vivre. Mais même en le voulant, je ne pouvais pas retourner à la foi de mes ancêtres. Cette forme de spiritualité était morte pour moi. Cela ne dépendait pas de ma volonté, quelque chose d'autre devait naître.

À la fin des années 70, par un concours de circonstances et une collègue de travail qui dégageait une grande sérénité et beaucoup de paix, j'ai commencé à méditer, méditer dans le sens de faire le silence des pensées. J'ai à ce moment recommencé de façon assidue à reprendre contact avec moi-même, à contacter ma nature profonde. Un chemin a commencé à se tracer, à travers les gens et les événements de la vie quotidienne, ma quête est devenue centrale et a pris lentement toute sa place. En 1992, mon travail en contexte culturel inuit a pris fin et on me laissa choisir en Santé publique un secteur de recherche qui me conviendrait. Mon heure était arrivée. J'ai demandé et obtenu de travailler au centre-ville de Québec avec les personnes les plus démunies. Je voulais comprendre et documenter comment on devient itinérant. Comment fonctionnent les processus de la désinsertion sociale. Est-il possible de renverser ces processus pour réinsérer les personnes ? Quelques années plus tard, en 1998, la retraite me fut offerte. C'est au moment de la retraite que la mission à accomplir s'est présentée. La quête a donc duré un demi-siècle. Non seulement la quête ne s'est pas terminée avec la mission mais elle est devenue plus intense encore, essentielle à son accomplissement parce que cette mission n'est pas MON projet, je n'en suis que l'outil. Je n'accomplis pas ce travail dans un plan de carrière, c'est ma propre réalisation, ma propre transformation qui s'opère à travers l'accomplissement de cette mission. Le discernement des actions, des gestes, du développement, etc., exige une constance et une présence de tous les instants.

Travailler avec des personnes dans la pauvreté est difficile. La pauvreté des personnes avec qui je travaille n'est pas seulement matérielle, elle est sociale et relationnelle, parfois intellectuelle et éducative, toujours affective, souvent spirituelle et plus encore. On peut les aider en leur donnant une aumône plus ou moins généreuse mais on les aiderait plus et mieux en leur donnant la manière de se libérer de la misère et de la souffrance. La question de ma quête est : comment peut-on aider une personne à s'aider elle-même davantage, à mieux vivre, à se réaliser, à s'accomplir, à avoir une vie avant la mort ? Comment aider une personne à s'approprier son pouvoir personnel ? Nous savons comment nourrir les personnes, les vêtir et les loger, mais nous ne savons pas comment les aider à grandir. En effet, comment grandir soi-même et, plus difficile encore, comment aider quelqu'un d'autre à grandir ?

Pour y arriver, il me fallait m'intégrer au milieu. Cela peut sembler simple, des professionnels le font tous les jours mais mon intention dépassait le rapport professionnel pour construire une relation personnelle authentique. La relation professionnelle crée une relation hiérarchique entre le professionnel et la personne qui reçoit le service. La méthode anthropologique inverse ce rapport. En se mettant à l'étude de l'autre, l'anthropologue devient l'étudiant et la personne étudiée devient l'expert du sujet à l'étude. Cette inversion des rapports change tout. Être anthropologue c'est entrer en contact avec l'autre pour s'approcher au plus près de cet autre, tenter de connaître, de comprendre, de découvrir, de sentir sa réalité au plus intime, au plus près possible pour vivre l'expérience comme l'autre la vit ; c'est se laisser toucher par la vie de l'autre, se laisser traverser par l'expérience de l'autre. En même temps, s'approcher de l'autre, c'est s'approcher de soi. Je me suis approchée, rapprochée, graduellement ; vous aurez compris qu'il ne s'agit pas d'un rapprochement physique mais d'un rapprochement symbolique, affectif, psychique, qui consiste à construire un rapport égalitaire avec l'autre. C'est un rude apprentissage. Pour me sentir adéquate et en mesure de travailler et de rejoindre ces personnes, je suis allée au fond de moi-même et j'ai cherché le lieu où je suis la plus pauvre. Il faut y demeurer le temps nécessaire. Il s'agit de réduire l'ego, le moi, pour le mettre au service du Soi, par le recueillement, la méditation, le lâcher-prise, la prière. Et alors seulement il y a disparition de la chercheuse et de la répondante pour faire place à deux personnes en quête d'un meilleur être pour l'une d'elles dans une relation où les deux se transforment. Pour atteindre ce lieu, il faut du temps et des efforts, il faut prendre le temps.

C'est l'exigence intérieure qui fait la quête, l'impeccabilité. Et c'est là que la parole du Christ m'attendait, cette parole que je vous ai citée plus tôt: «En vérité, je vous le dis, les publicains et les prostituées arrivent avant vous au Royaume de Dieu.» J'ai compris qu'il n'était pas simplement et seulement question là de repentir mais que le Christ avait vu quelque chose que les autres ne voyaient pas, et c'est à cela que j'ai eu accès.

Personne ne possède le monopole de la souffrance mais ce que j'ai découvert avec ces femmes est pour moi le summum de la tragédie humaine et de la souffrance. Pour arriver à se vendre, à donner accès à son corps, à se mettre au service sexuel d'un homme pour qui elles ne sont rien et qui n'est rien pour elles, il faut avoir été traitée d'une façon particulière pendant son enfance et il faut que certaines règles sociales aient été transgressées. La prostitution n'est pas banale, jamais banale, si peu banale que les femmes qui la pratiquent se dissocient d'elles-mêmes pour y parvenir. Ce qui se veut un mécanisme de protection pour se distancier du «client» aboutit avec le temps à la totale désensibilisation de leur corps, à l'anéantissement de leur sexualité, pour ne parler que de cette conséquence, qui s'appelle la décorporalisation. Elles intensifient leur désensibilisation en consommant des drogues et des intoxicants de toutes sortes. Ainsi la démarche que je les amène à faire de se reconnecter à leur corps, à elles-mêmes, à leur senti est-elle lente, douloureuse, longue, tellement plus douloureuse, difficile et souffrante que pour toute autre personne, on peut en convenir facilement. Mais lorsque la reconnexion se rétablit avec elles-mêmes, la résurrection est éblouissante.

J'ai ce grand privilège d'en être témoin, d'avoir accès à la plus grande beauté humaine, à sa splendeur, à sa lumière, une lumière enfouie sous une montagne de misère, d'abandon, de violence, de tragédies, d'abus sexuels, de viols, d'incestes, de maltraitance, de souillures, de tout ce qui salit une personne humaine.

Ce que j'avais déjà identifié chez moi comme un lieu inviolable, inaltérable, incorruptible, lumineux, voilà que la personne la plus méprisée de notre société me le révélait dans toute sa splendeur. J'ai senti cette infinité en moi mais je ne l'ai pas vue nulle part ailleurs, ce sont des femmes qui se sont prostituées qui me l'ont montrée. Je crois que c'est là voir l'âme d'une personne, voir sa nature fondamentale. Je vois quelque chose d'elles qu'elles-mêmes ignorent le plus souvent et j'ai pu le leur dire. Le titre de mon dernier livre veut témoigner de cette grandeur devant laquelle je n'ai pu que m'incliner. Cette démarche m'a révélé aussi que sortir de la prostitution, c'est d'abord entrer en soi. Montrer ce chemin à une personne, c'est lui redonner la vie et lui donner les clés de son propre rétablissement. Et j'ai enfin compris la troublante parole du Christ.

De ma découverte découlent deux obligations :

— la première est de les amener à découvrir en elles ce que j'y ai vu pour qu'elles prennent elles aussi la route et cheminent maintenant vers elles-mêmes. Elles m'ont révélée à moi-même, j'ai le devoir de les révéler à elles-mêmes ;

— je me sens aussi l'obligation de témoigner d'elles pour nous amener tous à leur tendre une main secourable dans un contexte social où il n'existe aucune politique sociale pour leur offrir des conditions qui leur permettraient de quitter définitivement la prostitution, ni aucune politique sociale pour faire disparaître les conditions d'entrée dans la prostitution et où aucune alternative à la prostitution ne leur est offerte. Ce qu'elles reçoivent, ce sont des condoms et des seringues propres. Nos politiques de réduction des méfaits les maintiennent et les enferment dans la prostitution. La prostitution n'est pas le plus vieux métier du monde, c'est la plus vieille menterie du monde parce que le plus vieux métier des femmes est celui d'aider ses sœurs et ses filles à accoucher, notre plus vieux métier est celui de sage-femme.

Pour conclure, contrairement à nos vieux préjugés, ces femmes ne sont pas des pécheresses, ce sont des victimes et des survivantes. En m'aidant à me révéler à moi-même, elles ont nourri ma propre quête spirituelle. Cette quête se fait-elle avec ou sans Dieu ? Je répondrai à cette question difficile en vous racontant un événement.

Dans ce travail où j'essaie de me rapprocher au plus près d'elles, je me suis retrouvée, à l'automne 2007, complètement dévastée et épuisée. Pour me reposer et refaire mon énergie, je suis allée me réfugier dans une petite maison que j'ai au bord du fleuve. Ma voisine, une femme elle-même en quête spirituelle, est venue me visiter. Elle a demandé de me parler seule à seule. Ce n'était pas une rencontre sociale. Sans détour, elle m'a déclaré : « Lui d'en Haut m'a réveillée l'autre nuit pour que je vienne te dire un message. » Vous pouvez imaginer ma stupéfaction. Elle a continué en me disant : « Il y a quelque chose dans le travail que tu fais avec les filles qui n'est pas correct. » Ma première pensée fut que la mission était vraiment importante, importante au point que ma voisine ait été réveillée en pleine nuit et qu'elle soit chargée de me transmettre un message. Mais je ne comprenais pas ce message. Aussi, j'étais choquée qu'elle se permette de critiquer ma façon de travailler. Je suis allée la voir à deux reprises dans les semaines qui ont suivi. Je voulais comprendre ce message mais je ne pouvais pas sans son aide. Alors que je cherchais l'erreur dans mon comportement envers mes protégées, elle s'impatienta pour enfin me dire que le message ne concernait pas les filles mais m'était adressé pour me dire que je ne me protégeais pas. J'avais pris l'habitude de me laisser traverser par la souffrance des femmes avec qui je travaillais pour me rapprocher d'elles. Je croulais sous la misère de ces femmes que je voulais aider à tout prix.

Que penser de cet événement, de cette expérience ? Ma vie en a été complètement bouleversée. J'en ai conclu que nous ne sommes pas un troupeau d'humains anonymes lâchés sur la terre, sans but, sans raison. J'ai réalisé que nous étions tous, individuellement connus, individuellement identifiés par quelque chose que je me refuse à nommer.

Je crois que la question posée ne nécessite pas de réponse définitive, que ce qui importe n'est pas la réponse à la question mais plutôt l'expérience personnelle de sa propre quête. Je vous remercie.

Rose Dufour

J'ai accepté cette invitation sans trop réfléchir, parce que le sujet m'intéressait. Mais j'avoue éprouver un malaise au moment de préciser, comme on m'y invite, ma compréhension personnelle de la spiritualité. Dans les sociétés occidentales, on assiste depuis cinquante ans à un effondrement du christianisme en tant que référent culturel central. Et comme la culture a horreur du vide, on assiste au surgissement d'un véritable marché des croyances. Les individus, supposément libérés de tout, choisissent maintenant leurs croyances comme ils se composaient autrefois un menu au restaurant : un peu de bouddhisme, une touche de réincarnation et de yoga, un peu d'astrologie et, pourquoi pas, la messe de minuit. J'éprouve un malaise profond devant cette prolifération des croyances et je ne me sens pas très à l'aise pour parler de *mes* croyances ou de *ma* spiritualité. Au fond, devant une assemblée probablement composée d'une majorité de croyants — il y a même un évêque —, je me sens aussi mal à l'aise que si on m'avait demandé de donner mon avis sur les maladies coronariennes devant une assemblée de cardiologues. Mais je me lance quand même.

Il y a quelques mois, un journaliste pressé m'a décrit comme un athée. Je me suis empressé de répondre dans son journal que je n'étais pas athée mais agnostique et que je préférais me tenir coi devant le mystère du monde. Je crois que les athées, autant que les croyants qui se croient en possession tranquille d'une vérité révélée dont ils auraient la clé, je crois que ces gens-là rapetissent le monde. Je sens que le monde est plus vaste et plus mystérieux que tout ce que les hommes pourraient imaginer. Je pense que rien ne peut épuiser le mystère du monde, pas plus notre raison que nos croyances.

Il y a, paraît-il, une approche théologique fondée sur l'inconnaissabilité de Dieu, l'approche apophatique. Je suppose que, jusqu'à ce que j'apprenne récemment l'existence du mot, j'étais un apophatiste sans le savoir. Mais si Dieu existe, comment ne pas être frappé par son silence ? Son silence devant les massacres, les famines, les camps de concentration et les enfants torturés. Je sais bien que, pour les croyants, ce silence est la condition de notre liberté et que cette liberté de choisir entre le bien et le mal est justement ce qui nous rend humains. Et je sais aussi que, pour les croyants, Dieu éclate dans sa création et sa révélation. Mais pour moi, son silence est un mystère impénétrable. L'écrivain Sylvie Germain, dans un très beau livre qui s'intitule *Les échos du silence*, parle justement du silence de Dieu. Elle écrit que croire, ce pourrait être écouter le silence. Je serais assez d'accord avec cette croyance. De la même façon, j'ai l'impression d'être plus près du mystère de l'existence devant un tableau de Morandi que sous le plafond de la chapelle Sixtine. Giorgio Morandi, vous le savez, c'est ce peintre italien solitaire, reclus, qui a passé toute sa vie à peindre les mêmes objets. Quelques tasses, des bouteilles, des vases... Ses tableaux austères et simples sont une sorte de miracle. Ils ne montrent presque rien mais ils sont d'une beauté poignante et, devant eux, nous sommes amenés à nous demander : Pourquoi y a-t-il quelque chose plutôt que rien ? Pourquoi cette tasse-ci ? Pourquoi ce vase ? Pourquoi cette lumière ? Comme je suis apophatiste, je suis porté à répondre : je ne sais pas... tout en éprouvant une profonde gratitude devant le fait d'être là et de regarder cela. Morandi nous révèle le mystère du regard.

Il est difficile de ne pas éprouver devant le spectacle d'un ciel étoilé au mois d'août, ou en écoutant une cantate de Bach, le sentiment d'une Présence. Le sentiment d'une

Présence, en tout cas de quelque chose qui nous dépasse. Que ce sentiment vienne d'une présence réelle ou soit une création de notre esprit émerveillé devant la grandeur du monde, il est précieux. Il est précieux parce qu'il nous rend attentif au monde et nous donne l'intuition de notre place dans l'Univers, une place qui n'est pas centrale et qui est toute petite. Ce sentiment nous invite à sortir de nous-mêmes et à aller vers ce qui est autre. Mettez une majuscule à « autre » si vous voulez.

Sortir de soi, c'est une définition littérale de l'extase. Je pense profondément qu'on doit s'extasier devant le monde, devant sa beauté, devant sa douleur et devant son mystère. Je pense aussi que, dans un monde qui nous ramène sans cesse à nous-mêmes, à travers la télévision, la publicité, qui nous ramène sans cesse à nous-mêmes, à nos désirs, à nos préférences, il faut sortir de soi. S'extasier, aller vers ce qui est autre, aller vers les autres.

J'atteins ici une sorte de limite. Je ne peux pas dire beaucoup plus... J'écoute le silence, je regarde la lumière, j'essaie d'être attentif au monde. Je crois bien que ça fait le tour de ma spiritualité.

De toute manière, la conception qu'un individu peut se faire de sa propre spiritualité ne me semble pas avoir une grande importance. Vous aurez bien la spiritualité que vous voulez, croyez au grand Manitou, à Zeus ou au Grand Soir si ça vous chante, pour moi, c'est le résultat qui compte. Il y a eu de grands chrétiens qui ont fait des horreurs. Je n'ai pas besoin de vous rappeler l'Inquisition, la guerre civile espagnole ou, plus près de nous, ce qui a pu se passer dans les sacristies ou les orphelinats. Je n'ai pas besoin de vous rappeler ce que les fondamentalistes en tous genres — chrétiens, juifs, musulmans — font au nom de leur religion... Ni que des non-croyants ont pu donner leur vie pour les autres. Quand je dis « c'est le résultat qui compte », je suis sérieux. Au fond, pour moi, c'est la question de l'éthique qui est centrale. Et ce qu'il peut y avoir au-dessous ou au-dessus m'apparaît comme une sorte de décoration.

Dans mon dernier film, le personnage principal, Jeanne, demande au vieux médecin qu'elle va remplacer s'il croit en Dieu. Après avoir hésité longtemps, le vieux docteur répond : « Moi, je crois une chose : je crois qu'il faut servir. » Je ne me suis jamais exprimé plus clairement à travers la voix d'un de mes personnages. Il faut servir. Voilà ma croyance la plus profonde. Mais j'ai quand même passé six ans de ma vie à écrire et réaliser une trilogie sur les vertus théologales et à creuser le patrimoine chrétien. Je ne crois pas qu'il y ait un autre cinéaste québécois, à part peut-être l'abbé Proulx, qui ait tourné autant de scènes dans des églises. Cela doit faire de moi un non-croyant d'un genre assez particulier. J'ai beau dire par boutade que ce qu'il y a au-dessus ou au-dessous de l'éthique m'apparaît comme une sorte de décoration, je suis profondément attaché à cette décoration-là.

Il y a plusieurs années, j'ai fait un film sur Saint-Denis-de-Kamouraska où un anthropologue américain, Horace Miner, avait passé une année dans les années trente à écrire un très beau livre. J'ai retrouvé la femme de l'anthropologue — M. Miner était déjà mort — et Mme Miner, que j'ai ramenée à Saint-Denis après soixante ans, m'a demandé de revoir la basilique de Sainte-Anne-de-Beaupré qu'elle n'avait pas vue depuis son séjour à Saint-Denis dans les années trente. Alors, moi qui ne l'avais pas vue depuis l'enfance, j'y suis allé avec elle et, en entrant dans l'église, j'ai été frappé, j'ai eu une espèce de choc de la reconnaissance. Choc devant la beauté, la grandeur et le kitch. Je me rappelle avoir dit à Mme Miner : « Madame Miner, voici les rituels de ma tribu ». Et effectivement, je me sens absolument chez moi dans une église, près du centre symbolique de la culture canadienne-française. Je tiens à ce patrimoine et je sais son importance. Grâce à lui, un petit peuple de paysans a gardé sa langue et un lien avec les grandes cultures européennes et un patrimoine deux fois millénaire. Je suis attaché à ce patrimoine pour d'autres raisons : à cause de sa beauté, de sa profondeur et aussi parce que j'y vois un ensemble de métaphores qui peuvent servir à orienter une vie vers le bien. J'ai une affection particulière pour le Sermon sur la montagne et je voterais demain matin pour un parti politique qui en ferait la base de son programme. Je crois qu'il serait d'un socialisme assez radical.

Avant de devenir cinéaste, j'ai pendant dix ans étudié puis enseigné l'anthropologie et j'en ai gardé une certitude, celle de la nécessité des traditions, y compris les traditions religieuses et spirituelles. J'ai vécu quelques années chez les Inuits et j'ai vu les ravages que peut faire la déculturation. Devant ce qui se passe aujourd'hui au Québec et dans la plupart des sociétés occidentales, je suis extrêmement inquiet. Pour moi, la tradition et sa transmission sont une nécessité. Il y a une sorte de continuité du sens qui me semble essentielle à une vie riche.

Tchekhov, qui n'est pas loin d'être mon auteur préféré, a écrit un récit extraordinaire sur ce sujet. Le récit s'intitule « L'étudiant », et c'était, paraît-il, son préféré. Vous me permettrez d'en lire quelques passages. Dans ce récit, le héros, Ivan Velikopolski, est un étudiant en théologie. Il a été chasser et il rentre chez lui par une belle journée de printemps. Et soudain, tout se couvre. Il se met à faire froid. Et Tchekhov écrit : « Les flaques se couvrirent d'aiguilles de glace et la forêt devint inhospitalière, sourde et déserte. Il monta une tempête d'hiver. » Des pensées noires se mettent à envahir l'esprit du jeune homme. Tchekhov poursuit : « Maintenant, tout recroquevillé de froid, il songeait que le même vent soufflait à l'époque d'Ivan le Terrible et de Pierre le Grand. Et qu'à leur époque sévissaient une pauvreté et une faim aussi féroces, les mêmes toits de chaume crevés, les mêmes ignorances, la même angoisse, le même désert à l'entour, les mêmes ténèbres, le même sentiment d'oppression. Toutes ces horreurs avaient existé, existaient et existeraient et que dans mille années la vie ne serait pas devenue meilleure. Et il n'avait pas envie de rentrer. »

L'étudiant se réfugie pour se réchauffer chez Vassilissa, une vieille paysanne de sa connaissance. Après un moment, il dit à la vieille femme : « Par une nuit aussi froide, l'apôtre Pierre était venu comme moi se réchauffer près d'un feu. » C'est la nuit du jardin des Oliviers. Et l'étudiant se met à raconter l'histoire du reniement de saint Pierre jusqu'au moment où le coq chante, où Pierre réalise sa faute et se met à pleurer. L'étudiant raconte si bien que la vieille paysanne se met elle aussi à pleurer.

Après un moment, l'étudiant salue la vieille femme et s'en va. Plus tard, en chemin, il pense à elle. Tchekhov écrit : « Maintenant, l'étudiant pensait à Vassilissa. Il se disait que si Vassilissa avait pleuré et que si sa fille s'était montrée troublée, c'était évidemment que ce qu'il venait de raconter, qui s'était passé dix-neuf siècles plus tôt, avait un rapport avec le présent, avec les deux femmes et sans doute avec ce village isolé, avec lui-même et avec toute l'humanité. Si la vieille femme avait pleuré, ce n'était pas parce qu'il avait l'art de faire vibrer par ses récits la corde sensible, mais parce que Pierre lui était proche et que de tout son être elle était intéressée à ce qui s'était passé dans son âme. Et une vague de joie déferla soudain dans l'âme de l'étudiant. Il s'arrêta même une minute pour reprendre sa respiration. Le passé, pensait-il, est lié au présent par une chaîne ininterrompue d'événements qui découlent les uns des autres. Et il lui semblait qu'il venait d'apercevoir les deux bouts de la chaîne. Il avait touché l'un et l'autre avait vibré. Tandis qu'il franchissait la rivière par le bac et qu'il gravissait la colline, les yeux fixés sur son village natal, sur le couchant où une main sur le bord du gouffre jetait des lueurs froides, il pensait que la vérité et la beauté qui régissaient la vie des hommes là-bas, au jardin des oliviers et dans la cour du grand-prêtre, s'étaient perpétuées sans interruption jusqu'à ce jour et apparemment constituait toujours l'essentiel de la vie humaine et, d'une manière générale, sur la terre. Un sentiment de jeunesse, de santé, de force — il n'avait que 22 ans — l'attente inévitablement douce du bonheur, d'un bonheur inconnu, mystérieux, l'envahirent peu à peu et la vie lui parut enivrante, merveilleuse, pleine d'une haute signification. »

Tchekhov, comme moi, n'était pas croyant. Pourtant, et son récit le confirme, il était attaché aux croyances de son peuple, à cause de leur beauté, de leur sens et de la continuité qu'elles incarnent. Je me sens très proche de cette position. Je sais ce qu'elle a de paradoxal.

On me demande de conclure au regard du thème de la soirée, «Avec ou sans Dieu». J'avoue que j'en suis bien incapable. Mais je sens qu'une vie vécue sans le sentiment de quelque chose qui nous dépasse, de quelque chose de plus grand que nous, serait une vie plus pauvre. Ce quelque chose de plus grand peut se trouver dans les valeurs humaines, la solidarité, la générosité, la justice. On peut trouver que ces valeurs sont dignes de foi et qu'il vaut la peine de s'engager et même de donner sa vie pour elles.

Avec ou sans Dieu? franchement, je ne sais pas. Mais certainement, avec la plus grande attention possible devant le mystère, la douleur et la beauté du monde. De cela, je suis certain. C'est ce que je crois. Merci.

Bernard Émond

J'aimerais relater une petite anecdote personnelle qui me permettra d'illustrer à quel niveau je désire situer mon exposé. Il y avait un certain temps déjà que je n'avais rencontré ma petite-nièce Florence, âgée de quatre ans. Alors que je lui exprimais ma joie de la revoir et de la serrer dans mes bras, elle me murmura : « Le cœur te chatouille, mon oncle ? » Si le cœur me « chatouillait » alors, vous pouvez vous imaginer comment il s'agita ces derniers jours en préparant le présent témoignage.

En effet, parler de spiritualité, en ce qui me concerne, me ramène au niveau du cœur, du cœur profond, zone sacrée dont le mystère ne se dévoile pas aussi aisément qu'on le voudrait. Pour entrer plus vivement dans le sujet, je décrirais simplement la spiritualité comme un souffle, un élan, un sens, une orientation, voire la quête d'un plus être, un appel au dépassement. Ce mouvement intérieur s'est révélé à moi dès mon jeune âge et je le perçois toujours comme une Présence personnelle, intime, vitale, englobante et libérante. Certes, cette Présence se conjugue avec les multiples accents de ce que fait naître en moi la fréquentation assidue de la Parole de Dieu. J'exprimai spontanément cette réalité, il y a plus de vingt ans, lorsque j'ai été appelé au ministère épiscopal et que j'ai choisi ma devise épiscopale : « Selon ta Parole, rassemblés en un seul Corps. »

La relecture de mon cheminement personnel afin d'en dégager les traits profonds de ma quête spirituelle et d'en pointer les principales sources d'alimentation fut un véritable travail d'investigation. De cette recherche introspective, je retiens trois caractéristiques principales de ce que j'appelle mon expérience de communion avec Dieu, fondement même de ma vie spirituelle : il s'agit d'une spiritualité à la fois biblique, christique et communautaire. J'illustrerai ces composantes, surtout le premier trait, en vous partageant comment la Parole de Dieu a balisé ma vie jusqu'à ce jour. Je dis jusqu'à ce jour puisque, chemin faisant, je fais souvent référence à ce que l'apôtre Paul, au soir de sa vie, écrivait à son disciple Timothée : « J'ai combattu le bon combat, j'ai achevé ma course, j'ai gardé la foi » (2 Tm 4, 7).

Mon cheminement humain et spirituel

Je reporte vers l'âge de douze ans cette découverte personnelle de Dieu, cette saisie plus consciente et rassurante de sa Présence qui n'a cessé de mûrir dans «un regard d'amour» et dans la réalisation de mon projet de vie. Dans ma prière du soir, ponctuée d'un long silence, je disais : «Parle, Seigneur, ton serviteur écoute ; qu'est-ce que Tu veux que je fasse de ma vie ? Je voudrais en faire quelque chose de grand» — traduisez : je voudrais réussir ma vie. C'est à cette parole révélée du jeune Samuel (1 S 3, 10) que je rattache les débuts de ma quête spirituelle et religieuse.

Le «viens et suis-moi» de Jésus a retenti tôt dans mon cœur d'adolescent. La réponse s'est articulée au fil des jours et au gré des rencontres, des événements, des imprévus, voire même des épreuves. Un rêve, un projet s'est dessiné, un projet dont le chantier est demeuré ouvert. Le visionnement en classe d'une série de documentaires produits par l'Office national du film sur les colonies africaines du Commonwealth m'a ouvert non seulement à la détresse matérielle, mais aussi à la faim spirituelle dans le monde. C'est à partir de cette activité académique que le désir d'un engagement missionnaire devint plus clair, engagement éclairé plus tard et nourri par l'épisode du buisson ardent : « J'ai vu, j'ai vu la misère de mon peuple qui est en Égypte. J'ai entendu son cri devant ses oppresseurs, je connais ses angoisses. Je suis descendu pour le délivrer… » (Ex 3, 7-8).

En rapport avec le chantier évoqué, je vous relate un fait qui vous apparaîtra peut-être cocasse mais qui est devenu déterminant dans mon cheminement spirituel. Jeune missionnaire au Honduras en tant que membre de la Société des Missions-Étrangères de Pont-Viau, il m'arrivait à l'occasion d'aller au cinéma avec quelques confrères. Lors du visionnement du film *Les sandales du pêcheur*, dont l'acteur principal est Anthony Quinn dans le rôle du pape, j'ai été profondément rejoint et inter-pellé par la réflexion d'un jeune théologien du nom de Teilhard de Chardin à qui, au cours d'un interrogatoire serré, les membres du Saint-Office demandaient en qui il croyait. Il répondit : « Je crois en l'homme comme Dieu y croit. » Cette phrase s'est gravée en moi et y demeure toujours aussi vive après plus de quarante ans. Elle a orienté et galvanisé ma lecture des Écritures, tout spécialement celle de l'Évangile. Elle a aussi marqué ma manière d'être avec les autres et, par le fait même, mon action pastorale et ma prière.

Après quelques années de vie missionnaire à l'étranger, ce fut le retour obligé au pays pour des raisons de santé. S'en est suivie une profonde remise en question de mon option de vie; d'ailleurs, tout le contexte social et ecclésial s'y prêtait. À cette croisée des chemins, une parole re-créatrice a jailli en moi : « Si tu veux. » À partir de ce moment, j'ai vécu ce que j'appellerais mon exode personnel ; temps de désert, de combat, de conversion et de libération. Cette traversée ne fut certainement pas aussi marquée que ce que Jean-Claude Guillebaud décrit dans son livre *Comment je suis redevenu chrétien*, mais je reconnais que « la foi présuppose une adhésion délibérée, un saut personnel et subjectif qui permet de franchir les abîmes du doute » (p. 173).

Je terminerai cette brève incursion dans mon cheminement humain et spirituel en vous soulignant qu'au moment de l'appel téléphonique du 20 décembre 1988, à 11 h 55, m'annonçant la décision du pape Jean-Paul II de me nommer évêque auxiliaire au diocèse de Saint-Jérôme et ne sachant que répondre, je n'ai pu prononcer qu'un seul mot : « Fiat ». Le « oui » de Marie. Il s'en est suivi un silence quasi cosmique… et une plénitude insaisissable.

La Parole de Dieu comme source de ma vie spirituelle

Ces quelques paroles bibliques charnières auxquelles j'ai fait référence et qui sont apparemment éparses dans le temps me sont toujours présentes et composent la trame de fond de mon cheminement et de ma recherche. Cette même Parole de Dieu lue, méditée, priée, approfondie, partagée, constitue jusqu'à un certain point ma nourriture quotidienne ; elle est comme une source constante de lumière et d'inspiration. Prières des Heures (bréviaire), liturgies de la Parole, célébrations sacramen telles, préparations d'homélies, consultations, participation assidue à des rencontres axées sur la Parole, notamment au sein de mouvements de fraternité tels que le Cursillo, bref, la Parole annoncée, célébrée et vécue a été et demeure l'axe incontournable de mon ministère.

L'annonce de la Parole demeure également bien présente dans la vie de notre diocèse grâce à des initiatives et des projets que j'ai encouragés : festivals de la Parole de Dieu, week-ends bibliques, groupes de partage de la

Parole et lectures publiques de la Bible en sont quelques exemples. La Parole de Dieu inspire aussi nos thématiques diocésaines annuelles. Essayant de travailler pastoralement dans une perspective d'engendrement à la vie spirituelle, à la vie de foi, nous prenons de plus en plus conscience de l'urgente nécessité de nous laisser engendrer à la vie nouvelle d'enfants de Dieu par la Parole accueillie et partagée en fraternité. Cela nous a conduits à inventorier cette année les sources de notre propre vie spirituelle sous le thème : «Pour re-naître ensemble à la Vie, ravive le don de Dieu qui est en toi» (2 Tm 1, 6).

De plus, c'est avec une grande joie, et comme une confirmation de ma quête spirituelle éclairée par la Parole, que j'ai accueilli le message final du dernier synode des évêques qui avait pour thème : «La Parole de Dieu dans la vie et la mission de l'Église». Ce texte offre l'occasion de faire un véritable voyage spirituel et de découvrir à nouveau la Révélation comme la voix empruntée par la Parole éternelle, Jésus Christ comme le visage de la Parole, l'Église comme la maison de la Parole, et la mission comme les chemins ouverts par la Parole pour la re-création du monde. Bref, le message m'a permis de réentendre l'antique appel : « Elle est tout près de toi, la Parole, elle est dans ta bouche et dans ton cœur afin que tu la mettes en pratique » (Dt 30, 14).

Le temps ne me permet pas de développer davantage cet aspect, mais je souligne que cette référence à la Parole de Dieu constitue une grille de lecture non seulement pour mon histoire personnelle, mais aussi pour l'histoire de notre Église au Québec au cours des cinquante dernières années. Bref, j'y ai recours pour nourrir constamment mon espérance et continuer à accompagner la marche de cette portion du Peuple de Dieu qui m'a été confiée. En 1969, André Frossard a écrit dans le fameux livre où il raconte sa conversion : « Dieu existe, je l'ai rencontré. » Ce n'est pas mon histoire, mais je peux affirmer qu'en certains moments de ma vie, au contact de la Parole, mon cœur était tout brûlant au-dedans de moi, comme l'ont expérimenté tant de disciples d'Emmaüs (Lc 24, 32) au long des siècles. La mémoire que j'en porte m'aide à surmonter les inévitables moments de désert, à sortir de mes enfermements toujours possibles et à m'ouvrir avec confiance et sérénité à plus de vie.

Conclusion

Au début du mois de janvier dernier, j'ai participé à la retraite annuelle des évêques catholiques du Québec. Ces jours de ressourcement consacrés cette année à la prière contemplative se résument en ces quelques mots : « Je ne lui dis rien : je l'aime », d'après l'ouvrage du père Jacques, cistercien de Rougemont, animateur de notre retraite. Il est significatif que son petit volume se soit vendu à des milliers d'exemplaires au cours des dernières années. Il y a indéniablement un regain de la recherche spirituelle en notre temps et je suis convaincu que la quête spirituelle et l'expérience de Dieu peuvent emprunter plusieurs voies, comme en ont témoigné les autres conférenciers. En parcourant un article sur la spiritualité contemporaine contenu dans le *Dictionnaire de la vie spirituelle*, j'ai retenu deux passages significatifs allant dans ce sens :

1. « Au-delà des structures confessionnelles, il existe une spiritualité commune à tous les hommes [et à toutes les femmes] parvenus à une option fondamentale de renoncement à l'égoïsme et d'ouverture à l'amour : "Face à l'option fondamentale il n'y a plus de chrétiens et non-chrétiens, de croyants et incroyants : il y a seulement des

personnes égoïstes ou des personnes qui savent prendre une attitude de don. "» (p. 1068);

2. «Aujourd'hui cependant on est plutôt porté à suivre la maxime *amo ergo est* ["J'aime, donc je suis"] (V. Frankl), dans ce sens que toute expérience vécue positivement est un chemin vers Dieu : "Ne faisons-nous pas l'expérience de l'amour de quelque chose qui se trouve en nous, mais qui est plus grand que nous ? Nous nous sentons aimés dans une gratuité absolue, gratuité qui accepte notre fragilité et nos limites alors qu'en elles-mêmes elles devraient plutôt tuer l'amour ou ses raisons profondes. Et cependant l'amour existe […]. Pourquoi donc le langage des amoureux se rapproche-t-il du langage divin, avec ses serments d'amour éternel, de fidélité absolue et de don inconditionné ? N'est-ce pas parce que dans l'amour, c'est le mystère de l'amour qui est en jeu, l'attrait de la transcendance vivante, c'est-à-dire Dieu lui-même ? […] Qui est Dieu, dans sa profondeur ? Nous ne pouvons l'expérimenter qu'à partir de l'expérience de l'amour" (L. Boff). » (p. 1070)

Avec « la Parole au cœur », je vous remercie de m'avoir invité à témoigner de l'espérance qui m'habite. (1 Pi 3, 15)

* * *

Appendice : l'expérience anthropologique de Dieu

Bien que les auteurs ne s'accordent pas dans la description de ces expériences privilégiées, celles qu'indique le père Rahner nous semblent significatives : « De façon encore non thématique l'homme fait l'expérience de Dieu et l'accepte comme condition de possibilité de certaines attitudes humaines fondamentales : là où l'homme garde l'espérance, bien que la situation apparaisse désespérée ; là où une expérience joyeuse est vécue comme promesse d'une joie illimitée ; là où l'homme aime avec une fidélité et un abandon inconditionnels, bien que la fragilité des partenaires ne puisse aucunement garantir un amour radicalement inconditionnel ; là où l'obligation éthique est vécue comme responsabilité radicale, bien qu'apparemment elle mène à la ruine ; là où l'homme expérimente et accueille le caractère définitif de la vérité ; là où l'homme, dans la pluralité des destinées humaines, supporte les tensions inévitables entre individu et société, espérant fermement […] en un sens final ou une béatitude qui pourra tout réconcilier. » (*Dictionnaire de la vie spirituelle*, p. 1070).

Gilles Lussier

Période d'échange

Question 1, adressée à Mme Dufour :

En quoi le message qui vous a été transmis par votre voisine a-t-il changé votre action auprès des prostituées ?

Ce message a changé ma façon d'approcher mon travail, mais il a surtout changé ma vie. Le fait que ma voisine soit interpellée en pleine nuit alors qu'elle ne savait pas ce qui se passait dans ma vie, qu'elle entende une petite voix lui demander de me dire de prendre soin de moi, cela a agi sur moi comme une révélation. J'ai compris qu'il n'y avait pas que ma mission auprès de ces femmes qui était importante, que je devais faire preuve d'empathie envers ces femmes, mais aussi envers moi-même. Cet événement me laisse croire que nous ne sommes pas simplement lancés sur la terre, qu'il y a quelque chose qui nous dépasse, qui nous connaît tous, individuellement. Il m'est difficile de trouver les mots justes pour parler de cela...

Dans mon travail, cet événement m'a amené à cesser de me laisser littéralement *traverser* par les souffrances de ces femmes. Ce que je voulais, c'était de développer ma compassion ; je rejetais donc ce que j'avais appris durant ma carrière d'infirmière et lors de mes études universitaires, soit qu'il fallait se protéger et éviter de se laisser toucher par l'autre. Dans *La donation*, le dernier film de M. Émond, nous voyons une femme médecin compatissante qui prend un patient dans ses bras. À la lumière de mon expérience dans la santé publique, il me semble que ce type de médecin est l'exception plutôt que la règle. C'est en travaillant avec les plus démunis que j'ai appris ce qu'est l'amour. Ce sont eux qui m'apprennent la compassion, ce sont eux qui m'apprennent à devenir vivante, à ressentir la vie. Dans cet apprentissage de la compassion, dans ma volonté de donner la parole à ces femmes, je suis allée trop loin, me laissant ensevelir par leurs histoires de vie effroyables. À un certain moment, j'étais complètement démolie. J'ai donc corrigé mon approche, me laissant désormais *toucher* plutôt que *traverser* par la souffrance. La ligne est mince entre ces deux états et, puisque mon amour pour ces femmes est illimité, que mon engagement est total, j'ai de la difficulté à ne pas la franchir à nouveau.

J'ajouterais que je m'aperçois que la quête est une démarche d'une vie entière. Je croyais que la quête se terminait avec la mission alors qu'elle est encore plus grande lorsque l'on est *dans* la mission. On avance alors dans le noir, on est toujours en discernement. Je ne suis pas dans un plan de carrière, je suis dans quelque chose qui a sa propre vie et qui doit s'accomplir, je suis au service de quelque chose. Pour être en mesure d'avancer dans cette quête, je pratique le silence au maximum. Je me garde des moments où je m'isole et où je cherche le silence extérieur, mais surtout le silence intérieur.

Question 2, adressée à M. Émond :

Vous avez parlé de la nécessité pour un peuple d'avoir des traditions. Selon vous, quelles sont les traditions perpétuées par les jeunes ? Et si la tradition ne se nourrit plus à la foi qui lui a donné naissance, comment cette tradition peut-elle survivre à long terme ?

Il est possible que le monde que nous avons connu disparaisse sans laisser de traces ; notre civilisation ne serait pas la première dans l'histoire de l'humanité à disparaître. Il est possible que ce que l'on connaît de la civilisation occidentale ne puisse pas tenir sans la foi qui l'a vue naître. Je pense que nous avons tous une responsabilité dans la transmission qui est, selon moi, une chose extrêmement importante. À l'école par exemple, on essaie beaucoup trop d'aller vers les enfants et les adolescents, de leur donner ce qu'ils attendent, ce qui est l'exact opposé de ce qu'un processus d'éducation devrait être. Dans un tel processus, on doit être attiré par l'autre, par quelqu'un qui connaît plus de choses que nous, par quelqu'un dont le savoir fait autorité. Voilà quelque chose qui, depuis les années soixante-dix, est presque devenu une hérésie. Je pense que le passé fait autorité, que les connaissances d'un professeur peuvent faire autorité. Je pense que l'on a le devoir d'assumer cette autorité pour transmettre. On ne peut pas être dans une logique publicitaire ou télévisuelle quand on est dans un rapport éducatif, que ce soit à l'école ou avec nos propres enfants. Peut-être que le contexte social général rend cette entreprise impossible. J'espère que non, car sans un rapport solide avec le passé, il me semble impossible que nous puissions savoir qui nous sommes et où nous allons.

Question 3, adressée à Mgr Lussier :

La sécularisation qu'a connue le Québec lors des cinquante dernières années semble avoir débouché sur un désert spirituel. En tant qu'évêque, avez-vous espoir de voir se réveiller la spiritualité des Québécoises et des Québécois ?

Nous parlions plus tôt d'un « régime de chrétienté » ; je suis un produit de ce temps, de cette époque qui disparaît progressivement, voire rapidement. Cette traversée du désert que vit notre Église au Québec depuis cinquante ans sera peut-être salutaire, comme le furent la traversée du désert et l'exil vécus par le peuple juif qui se dépouilla alors progressivement de ses idoles et qui, loin du Temple et de toute institution, put renaître. Lorsque je regarde la marche de notre Église et de la société québécoise, je ne peux que constater que des institutions s'écroulent. Cependant, ces institutions étaient peut-être des « idoles » que nous nous étions données, des choses accessoires qui nous éloignaient de l'essentiel et dont la disparition est nécessaire à une renaissance, à l'ouverture d'un nouvel horizon plus « anthropologique ».

Le courant écologique ainsi que les combats pour la justice et l'égalité sont des ouvertures sur ce nouvel horizon anthropologique et sur une spiritualité vécue dans le quotidien. L'extraordinaire courant de générosité et de solidarité qu'a suscité le récent tremblement de terre en Haïti est un autre signe de l'émergence de ce nouvel horizon. Celui-ci est exprimé dans un langage plus simple, moins théologique, mais il semble néanmoins s'appuyer sur les mêmes valeurs et les mêmes fondements éthiques que le message du Christ. Lorsque je suis à l'écoute de la vie quotidienne, je constate que l'Esprit est à l'œuvre à travers ces valeurs profondément humaines. M. Émond dans son témoignage parlait du silence de Dieu devant la souffrance humaine ; selon moi, une voix se fait entendre à travers les humains que nous sommes, comme l'illustre la gigantesque mobilisation qui a suivi la catastrophe en Haïti. La parole de Dieu s'est incarnée, elle s'incarne dans nos gestes, dans nos attitudes face à la souffrance de nos semblables.

Réaction de Mme Dufour à la question 3 :

Comment réveiller la spiritualité des Québécoises et Québécois ? Cette question complexe m'interpelle grandement et j'aimerais vous faire part de ce que je peux observer sur le terrain dans le cadre de mon travail. J'ai fait plus de cent conférences depuis la parution de mon dernier livre et, à chaque rencontre, des gens viennent me voir pour me dire à quel point ils sont touchés par l'histoire de ces femmes et qu'ils aimeraient pouvoir faire quelque chose. Des gens ont même décidé de créer un réseau de prière qui, à ce jour, compte six cents personnes. Mon rôle est simplement d'entretenir les liens entre les femmes et le réseau de prière. Dans le cadre de mon travail, je fais de l'accompagnement auprès de femmes en prison et lorsqu'elles doivent aller en cour, je leur offre toujours de contacter le réseau de prière pour lui demander de prier pour elles. La réaction est toujours la même : les femmes fondent en larmes, n'arrivant tout simplement pas à croire que six cents personnes sont prêtes à prier pour elles. Un jour, j'ai moi-même reçu un message provenant d'un nouveau groupe qui s'était joint au réseau de prière. Ce groupe, bien au fait des difficultés liées à mon travail, s'offrait pour m'accompagner : douze familles s'engageaient à prier pour moi tous les jours durant la prochaine année. Comment croyez-vous que j'ai réagi ? De la même façon que les femmes que j'accompagne. Je ne saurais décrire l'effet de ces prières ; c'est impressionnant, bouleversant, extraordinaire, et parfois difficile à croire. Il est difficile de parler de spiritualité, le mot lui-même étant devenu tabou. Pourtant, une profonde perte de sens est observable sur le terrain, une perte de sens qui pourrait entraîner une augmentation des problèmes de santé mentale dans notre société. Nous avons appris à nous chercher et à chercher Dieu à l'extérieur de nous, ce qui est une erreur selon moi. Heureusement, une révolution semble en cours et de plus en plus de gens cherchent à entrer en contact avec eux-mêmes. Ainsi, une perte de sens est observable dans la société, mais une profonde quête de l'humain semble aussi en cours, chacun d'entre nous ayant la responsabilité d'être meilleur et de se mettre au service des autres.

Ajout de Mgr Lussier aux propos de Mme Dufour sur la question 3 :
Dans le désert, il y a toujours des points d'eau, des oasis. Dans le désert spirituel que nous semblons traverser, nous devons créer des oasis, ouvrir des puits où les gens pourront s'abreuver. Dans nos témoignages, nous avons spontanément fait référence au silence, à un

silence habité. Créer des espaces de silence, c'est créer des points d'eau. Dans notre diocèse, depuis quelques années, nous avons aménagé au sous-sol de la cathédrale une chapelle d'adoration perpétuelle, ouverte jour et nuit. Ce n'est pas toujours facile à gérer, mais ce coin de recueillement semble vraiment répondre à un besoin. Des gens de tout âge le fréquentent, notamment des étudiants puisque nous sommes situés près du cégep. Certains écrivent même des témoignages dans ce lieu qui leur permet de se retrouver.

Question 4 : adressée à M. Émond :

Comment pouvez-vous parler du silence de Dieu ? Ne l'entendez-vous pas, ne le voyez-vous pas se démener ces jours-ci dans les efforts surhumains des gens de toutes origines et confessions en Haïti ?

Non. Je pense que l'on peut parfaitement voir dans ce travail humanitaire une réponse *humaine*. Je pense sincèrement que des non-croyants peuvent être aussi généreux que des croyants.

**Commentaire d'une personne de l'auditoire
sur le langage :**

À la fois dans les exposés et dans les réponses données aux questions de l'auditoire, une chose m'a frappé : l'importance du langage. Je constate que les mots traditionnels de la religion et de la Bible n'arrivent plus à nous toucher, que les intervenants qui nous touchent le plus sont ceux qui utilisent le langage de la vie quotidienne, de la vie réelle. Je suis conscient qu'il est difficile de parler de tout ce qui est de l'ordre de la transcendance et de la mystique à partir des mots du quotidien, mais je crois que si nous voulons rejoindre nos contemporains, nous ne pouvons faire autrement. Nous devons nous concentrer sur l'essentiel, faire porter notre discours sur l'éthique et les valeurs et insister sur l'importance de se mettre au service de l'autre. Nous toucherons ainsi les hommes et les femmes de notre temps.

Réaction de M. Émond au commentaire :

J'aimerais commenter sur la question du langage. J'ai assisté dans les derniers mois à quelques services funèbres et j'ai trouvé que les célébrants, que les prêtres essayaient tellement de rejoindre les gens qu'ils utilisaient un langage d'animateur de télévision. J'étais franchement outré parce qu'il y a dans la tradition chrétienne une profondeur qui passe aussi par la distance et l'élévation du langage. J'ai souvent l'impression que les croyants ont honte de leurs croyances et que les prêtres essaient de se comporter comme des animateurs, ce qui ne devrait pas être. Ce que je disais plus tôt de l'autorité en éducation vaut aussi, selon moi, pour la religion et la littérature. Par exemple, une œuvre d'art n'a pas à s'abaisser vers le public ; elle a plutôt à attirer le public vers le haut. C'est la même chose pour l'éducation qui doit permettre aux étudiants de s'élever ; elle ne doit pas s'abaisser vers eux. Et c'est la même chose pour la religion.

Réaction de Mme Dufour au commentaire :

Lorsque j'ai perdu la foi de mes ancêtres, c'est la forme que j'ai rejetée, les représentations de Dieu auxquelles on m'avait demandé de croire. Mais il reste l'expérimentation : nous avons tous l'obligation d'accomplissement, de réalisation de soi-même, à travers un chemin que chacun doit découvrir. La réponse est dans la quête que chacun doit faire, chacun doit répondre à sa propre question, continuer de chercher, de cheminer. Il est intéressant de voir que, si les églises sont vides, leurs sous-sols sont bondés, remplis de gens engagés dans divers groupes et organismes. Diverses initiatives sont prises et laissent croire qu'il y a quelque chose qui se passe, qu'une véritable révolution est en cours; les gens se réapproprient leur religion, leur spiritualité.

Réaction de Mgr Lussier au commentaire:

Je suis tout à fait d'accord avec les propos de M. Émond sur la question du langage: je crois qu'il y a des mots issus de la tradition chrétienne qui portent toute leur signification et que l'on doit continuer à utiliser. Je crois qu'il faut aussi admettre que le vocabulaire religieux traditionnel n'arrive plus à rejoindre une grande partie de la population. Nous devons donc trouver un langage, mais aussi un discours qui, tout en conservant l'essentiel de la profondeur et de la richesse de la tradition catholique, parviendront à toucher et à mobiliser les gens.

TABLE DES MATIÈRES

Les conférences du Centre culturel chrétien de Montréal
Créée à l'initiative du Centre culturel chrétien de Montréal, la présente collection regroupe des textes de conférences prononcées dans les soirées tenues au couvent des dominicains de Saint-Albert-le-Grand.

Rose Dufour • Bernard Émond • Gilles Lussier
La quête spirituelle : avec ou sans Dieu ?

Normand Provencher • Patrick Snyder
Pourquoi Jésus fascine-t-il encore ?

Ce livre a été imprimé au Québec en février 2010
sur du papier entièrement recyclé
sur les presses de Marquis imprimeur.